Edition Schott

Original Music for R...e

T0085699

Jean Baptiste Loeillet de Gant

geb. 1688

6 Duets
6 Duette

for Treble Recorders (Flutes, Oboes, Violins)
für Altblockflöten (Flöten, Oboen, Violinen)

Edited by / Herausgegeben von
Hugo Ruf

Volume 1 / Heft 1
Sonate B-Dur / Si♭ majeur / B♭ major
Sonate F-Dur / Fa majeur / F major
Sonate a-Moll / La mineur / A minor

OFB 55
ISMN 979-0-001-09943-1

Volume 2 / Heft 2
Sonate G-Dur / Sol majeur / G major
Sonate F-Dur / Fa majeur / F major
Sonate d-Moll / Ré mineur / D minor
OFB 56

www.schott-music.com

Mainz · London · Berlin · Madrid · New York · Paris · Prague · Tokyo · Toronto
© 1963 SCHOTT MUSIC GmbH & Co. KG, Mainz · Printed in Germany

VORWORT

Über das Leben des Jean Baptiste Loeillet de Gant ist wenig bekannt. Er wurde am 26. Juli des Jahres 1688 in Gent getauft und soll den größten Teil seines Lebens in Frankreich am Hof des Erzbischofs von Lyon verbracht haben. Auf den Titelseiten seiner gedruckten Werke (er veröffentlichte hauptsächlich Flötensoli mit Basso continuo und Flötenduette) führt er bei seinem Familiennamen immer den Zusatz „de Gant". Wir dürfen annehmen, daß er auf diese Weise Verwechslungen mit dem „Londoner Loeillet" (das ist sein Vetter Jean Baptiste Loeillet, geb. 1680 zu Gent, gest. 1730 in London, der seine Werke unter dem Namen *John* Loeillet veröffentlichte) vermeiden wollte.

Die vorliegenden Duette sind aus den um 1730 im Verlag von John Walsh in London erschienenen

Six / SONATAS / of two Parts / Fitted and Contriv'd / for two / FLUTES /
Compos'd by / M^r. Loeillet of Gant

ausgewählt worden. Unsere Ausgabe bringt den originalen Text mit einigen Fehlerberichtigungen und mit den notwendigsten Ergänzungen für den praktischen Gebrauch. Die die Artikulation, Ornamentik und Dynamik betreffenden Ergänzungen sind als solche kenntlich gemacht.

Hugo Ruf

PREFACE

On sait peu de chose de la vie de Jean Baptiste Loeillet de Gant. Il fut baptisé à Gand le 26 Juillet 1688 et l'on pense qu'il passa la plus grande partie de son existence en France, à la cour de l'archevêque de Lyon. La page de titre de ses œuvres imprimées (il publia principalement des compositions pour flûte seule avec continuo et pour deux flûtes) fait régulièrement suivre son patronyme de la mention « de Gant », sans doute afin d'éviter qu'on ne le confondît avec le « Loeillet de Londres », c'est=à=dire son cousin Jean=Baptiste Loeillet, né en 1680 à Gand et mort en 1730 à Londres, et qui publia ses œuvres sous le nom de John Loeillet.

Les duos que voici sont extraits des

Six / SONATAS / of two Parts / Fitted and Contriv'd / for two / FLUTES /
Compos'd by / M^r. Loeillet of Gant

parues vers 1730 à Londres chez l'éditeur John Walsh. Notre édition présente le texte original, corrigé de quelques erreurs et augmenté des additions les plus indispensables pour l'utilisation pratique. Ces additions, relatives à l'articulation, aux ornements et à la dynamique, sont signalées comme telles.

Hugo Ruf

PREFACE

Little is known about the life of Jean Baptiste Loeillet de Gant. He was christened in Ghent on 26 July 1688 and is supposed to have spent the main part of his life in France, at the Archbishop of Lyon's court. In his published works, which are mainly flute solos with continuo and flute duets, he always called himself expressly Jean Baptiste Loeillet *de Gant*, presumably to prevent confusion with his cousin Jean Baptiste Loeillet, who was also born in Ghent in 1680 but spent most of his life in London (where he died in 1730), publishing his compositions under the name of *John* Loeillet.

The present Duets were selected from

Six / SONATAS / of two Parts / Fitted and Contriv'd / for two / FLUTES /
Compos'd by / M^r. Loeillet of Gant

published by John Walsh, London, in 1730. This edition is a reproduction of the original text except for correction of some errors and additions concerning articulation, embellishments and dynamics. All these additions have been printed in such a way as to make them recognizable as such.

Hugo Ruf

Sonate
B–Dur / Si bémol majeur / B flat major

Herausgegeben von
Hugo Ruf

Jean Baptiste Loeillet de Gant
geb. 1688

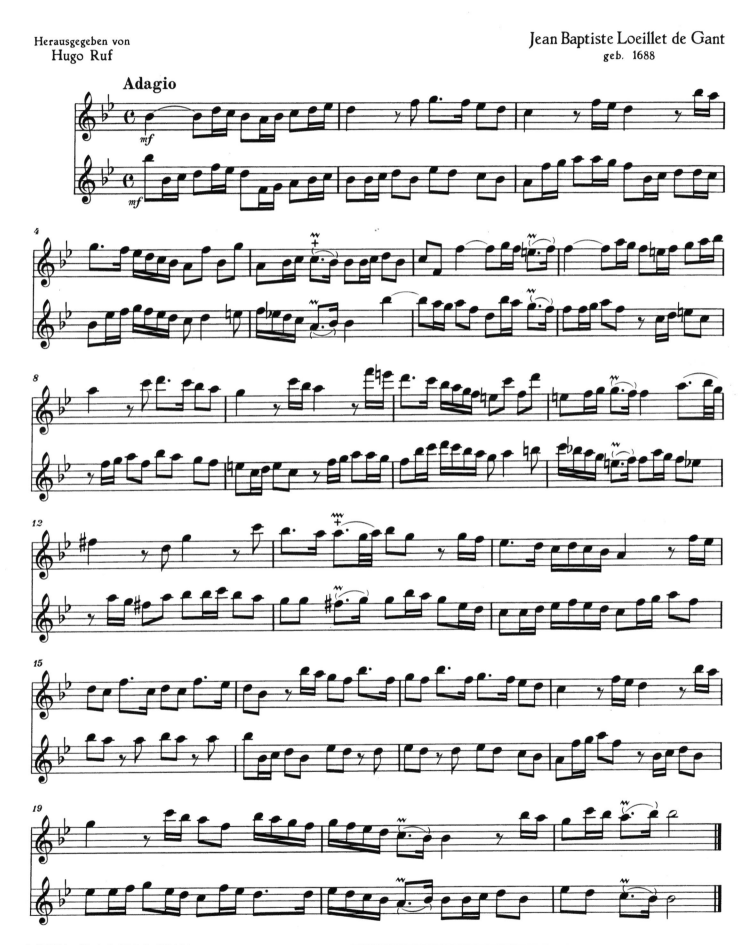

Allegro

Folgt Adagio Seite 8, dann Gavotta
Suive Adagio page 8, alors Gavotta
Follow Adagio page 8, then Gavotta

Gavotta

D.C. al Fine

Adagio

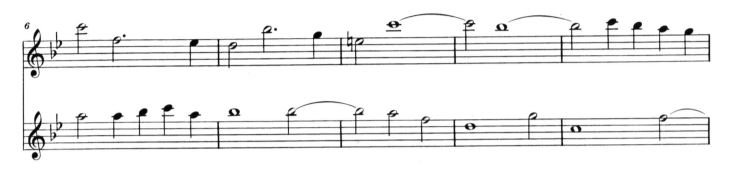

Sonate
F-Dur / Fa majeur / F major

Herausgegeben von
Hugo Ruf

Jean Baptiste Loeillet de Gant
geb. 1688

© 1963 Schott Music GmbH & Co. KG, Mainz

Allegro

Largo

Allegro staccato

Sonate
a–Moll / la mineur / a minor

Jean Baptiste Loeillet de Gant
geb. 1688

Herausgegeben von
Hugo Ruf

Allegro

Folgt Adagio Seite 20, dann erst das Allegro
Suive Adagio page 20, alors l'Allegro
Follow Adagio Page 20, then the Allegro

Giga

Allegro

Adagio